© Éditions du Seuil, juin 2015
25, bd Romain-Rolland
Dépôt légal : juin 2015 – ISBN : 979-10-235-0265-7 – Tirage n° 1
Loi 49-956 du 16 juillet 1949 sur les publications destinées à la jeunesse.
Imprimé en France – www.seuil.com

Comment ? Quoi ?

Fabian Negrin
Histoire
et illustrations

Claude Helft
Rimes

SEUİL JEUNESSE

- Ohé, que veux-tu manger ce soir ?

– De la purée de patates !

Le vent souffle.

– Comment ? Quoi ? Du pâté de tomates ?

-Ce soir, ton père veut du pâté de tomates!
Le vent s'enfle.

- Comment ? Quoi ?

Un palmier et ses dattes ?

- Ce soir, mon père veut un palmier et ses dattes !

Le vent grossit.

- Comment ? Quoi ? Des gallinacés qui grattent ?

- Ce soir, son père veut des gallinacés qui grattent !

Le vent tourbillonne.

- Comment ? Quoi ? Des souliers, des savates ?

- Ce soir, son père veut des souliers, des savates !

Le vent tournoie.

- Comment ? Quoi ? Un rosier écarlate ?

– Ce soir, son père veut un rosier écarlate !

Le vent s'engouffre.

– Comment ? Quoi ?

Une poupée haute sur pattes ?

- Ce soir, son père veut une poupée haute sur pattes !

Le vent mugit.

- Comment ? Quoi ? Du gibier de pirate ?

- Ce soir, son père veut du gibier de pirate !

Le vent rugit.

- Comment ? Quoi ? Une fricassée de mainates ?

- Ce soir, son père veut une fricassée de mainates !

Le vent hurle.

- Comment ? Quoi ? Des cétacés en hâte ?

– Ce soir, son père veut des cétacés en hâte !

Le vent soulève.

– Comment ? Quoi ? Un sorcier acrobate ?

- Ce soir, son père veut un sorcier acrobate !

Le vent arrache.

Le vent tempête. C'est assez, ça éclate !

Le vent est tombé.

– De la purée de patates ? Ah bon, c'était ça ?

– Aujourd'hui, il y avait un peu de vent en mer.

- Du vent ? Tout était calme à terre.

– Calme ?

- Comment? Quoi?